Méchant Minou

raconte des histoires

NICK B~~RUEL~~

Texte français d'Hélène Pilotto

Éditions
■SCHOLASTIC

À l'occasion de la parution de ce dixième livre de la collection Méchant Minou, j'aimerais exprimer ma reconnaissance à la super équipe de la maison d'édition Roaring Brook pour le soutien inestimable qu'elle m'a apporté depuis le début, à moi et à mon matou malcommode. J'adresse un merci spécial à Simon Boughton, à Lauren Wohl, à la toujours patiente Jennifer Browne – qui a fait la conception graphique de chacun des livres originaux – et bien sûr à Neal Porter, mon éditeur, si souvent mentionné dans ces pages. De même, rien de tout cela n'aurait été possible sans le travail de leurs assistants : Ben Tomek, Kat Kopit, Colleen AF Venable et Emily Feinberg, pour ne nommer que ceux-là. Au sein de Macmillan, la maison mère de Roaring Brook, il y a tout simplement trop de gens à remercier pour que je le fasse ici, sans compter que, pour être tout à fait honnête, je ne connais pas le nom de chacun d'eux, même si je le devrais. Alors, à toutes ces personnes des services du marketing, de la publicité, des ventes, du graphisme et des autres services… merci. Vous avez largement contribué à la croissance et au succès qu'ont connus les livres de Méchant Minou. Je vous en remercie du fond du cœur.

Catalogage avant publication de Bibliothèque et Archives Canada

Bruel, Nick
[Bad Kitty drawn to trouble. Français]

Méchant Minou raconte des histoires / Nick Bruel, auteur et illustrateur ; Hélène Pilotto, traducteur.

Traduction de : Bad Kitty drawn to trouble.
ISBN 978-1-4431-3857-4 (couverture souple)

I. Pilotto, Hélène, traducteur II. Titre. III. Titre : Bad Kitty drawn to trouble. Français.

PZ23.B774Mer 2014   j813'.6   C2014-901486-4

Édition publiée par les Éditions Scholastic,
604, rue King Ouest, Toronto (Ontario) M5V 1E1.
5 4 3 2 1   Imprimé au Canada 139   14 15 16 17 18

• TABLE DES MATIÈRES •

CHAPITRE 1

L'AUTEUR

Bonjour.

Je m'appelle Nick Bruel.

Je suis un AUTEUR★, ce qui signifie que j'écris des livres.

En fait, j'ai écrit CE livre.

Celui-ci. Celui que tu es en train de lire.

À présent, j'aimerais que tu sentes le livre. C'est exact. Renifle-le.

Tu ne trouves pas qu'il sent le papier? C'est ainsi qu'on reconnaît les livres.

Si tu lis ce livre en version électronique, je t'invite à télécharger l'application qui donnera une odeur de papier à ton livre. Comme ça, tu comprendras mieux de quoi je parle.

Tu trouveras une définition des mots suivis d'une ★ dans l'annexe, à la fin du livre.

Tu ne crois pas que ce serait chouette si tu pouvais me voir? Après tout, je TE vois bien, moi. Pour ma part, je trouve que ce serait génial si on pouvait se voir.

Comme tous les auteurs de livres pour enfants, j'ai très belle apparence. J'aimerais bien que tu le constates par toi-même, mais comment faire?

J'ai trouvé! Je vais me dessiner!

Comme tu vois, je suis aussi un ILLUSTRATEUR★, ce qui signifie que j'ai fait tous les dessins (on dit aussi « illustrations ») qui ornent ce livre.

Hum... Je ne suis pas sûr que mon dessin soit convaincant.

Que faire? Que faire?

Hé, je sais! Je vais dessiner un miroir! Quand je regarderai dedans, tu pourras me voir!

Comme je suis à la fois l'auteur et l'illustrateur du livre, je peux faire tout ce qui me plaît.

COUCOU!

Ah!
Comme
ça, je te
vois et tu me
vois aussi!

Je te l'avais dit que j'étais
beau. Mais cesse de me fixer!
Ta mère ne t'a jamais dit que
fixer les belles personnes trop
longtemps rendait daltonien?
Non? Tu veux rire? C'est pourtant ce
que ma mère me disait toujours.

Elle disait aussi que je risquais de mouiller mon lit si je regardais trop de dessins animés. Misère! Sur ce point, elle avait totalement raison! Je crois quand même que le litre de jus d'orange que j'avalais chaque soir y était peut-être pour quelque chose, mais bon...

PHOTO DE L'AUTEUR EN PREMIÈRE ANNÉE

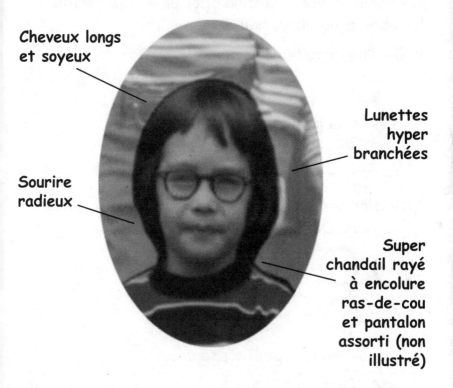

Cheveux longs et soyeux

Lunettes hyper branchées

Sourire radieux

Super chandail rayé à encolure ras-de-cou et pantalon assorti (non illustré)

Bon, assez parlé de moi! Nous avons un important travail à accomplir!

Ce livre parle de MÉCHANT MINOU et on n'a toujours pas vu le bout de sa truffe!

Je vais dessiner Méchant Minou, maintenant. Tu peux le faire aussi, si ça te chante. Je vais le dessiner à gauche pour te laisser de la place. Comme ça, tu pourras bien suivre chaque étape. Si tu as emprunté le livre à la bibliothèque, tu ferais mieux de demander à la bibliothécaire la permission de dessiner dedans avant de commencer*. Si tu lis le livre en version électronique, vas-y, dessine directement sur l'écran. Tes parents ne diront rien**.

1. Dessine la truffe de Minou.

2. Dessine sa gueule.

3. Dessine ses coudes. Non, attends! Je voulais dire ses yeux. Désolé. Dessine ses yeux.

4. Puis, dessine les poils sur sa tête.

* Elle va refuser, c'est sûr.
** En fait oui, ils vont dire quelque chose!

As-tu la main fatiguée? Non? Vraiment? Eh bien, moi oui. J'ai soif. Je vais me chercher un verre d'eau et je reviens.

Aaah! Je me sens mieux. Quoi? Tu es encore là? Mais je me suis absenté une heure! N'as-tu pas des devoirs à faire, toi? Bien. Où en étions-nous? Ah, oui!

5. Dessine les oreilles de Minou.

6. Et enfin, dessine ses moustaches.

BONJOUR, MINOU!

As-tu envie de dessiner le corps de Minou? Oui? C'est
dommage parce que moi, ça ne me tente pas! HA!
Je plaisantais! Je suis drôle. Tu ne trouves pas? Moi,
je pense que je suis très drôle. Tout le monde m'aime
parce que je suis drôle. Tu ne trouves pas que j'étais…
hum… bon, d'accord. Continuons.

7. À présent, dessine les coudes de Minou. Non, le
    COU! Le cou. Désolé.

8. Puis dessine ses épaules et ses pattes avant.

N'oublie pas la
petite touffe de
poils blancs sur sa
poitrine.

9. Ensuite, dessine ses pattes arrière.

10. Et pour finir, dessine sa queue.

Ce n'était pas si difficile, pas vrai? Maintenant, dessine Minou un milliard de fois et tu auras une petite idée de ce à quoi ressemble mon travail.

J'imagine que tu as envie de t'exercer à dessiner Minou, alors voici ce qu'on va faire... Photocopie les pages 10 à 13 et exerce-toi à dessiner Minou encore et encore comme je te l'ai montré. Surtout, ne dis rien à mon éditeur : il n'aimera pas du tout cette idée.

Nick,
Je t'en prie, cesse de dire à tes lecteurs de photocopier les pages du livre. Comment sommes-nous censés faire des profits?
Neal

Oups! Trop tard. Il est au courant.

Lequel d'entre vous m'a dénoncé?

Voyons voir. Il y a quelque chose qui cloche.

On dirait qu'il manque un truc. Qu'est-ce que ça peut être? On a dessiné les yeux et la petite touffe de poils blancs... Faudrait-il modifier les coudes? Non, ce n'est pas ça.

15

Minou, as-tu une idée? Qu'est-ce qui manque?

Mais oui, suis-je bête! Il faut ajouter la couleur! Attends-moi une minute, Minou. Je vais chercher la peinture.

C'est parti, Minou! Essaie de ne pas bouger
pendant que je te colore.

Comme tu peux le voir, j'utilise une vaste palette de couleurs pour peindre Minou.

Je colore sa fourrure d'un noir de jais. Sa truffe est rouge cadmium avec des taches de rouge brique. Ses yeux sont jaune cadmium, ombrés d'ocre. Son museau est couleur chair avec des nuances de brun rosé. J'ajoute aussi une touche de bleu cobalt sur sa touffe de poils blancs.

Quoi? Tu ne vois pas toutes ces magnifiques couleurs?
Et l'ocre? Le rouge cadmium? Le bleu cobalt? Tu n'en
vois AUCUNE?

MISÈRE!

Tu souffres de DALTONISME!

Je te l'avais dit de ne pas me fixer trop longtemps!

CHAPITRE 2

LE PERSONNAGE★ PRINCIPAL

Bon, on commence!

On a de la chance : on a déjà un personnage pour notre histoire. C'est TOI, Minou!

Oui, TOI! Tu es doté d'une forte personnalité. Plus notre histoire va progresser et plus on va apprendre à te connaître.

À vrai dire, Minou, tu n'es pas un personnage quelconque : tu es le PROTAGONISTE★ de l'histoire. C'est un mot savant pour dire que tu es le personnage principal, le personnage le plus important de l'histoire.

C'est un peu comme être la vedette d'un film.

Nico? Tu n'as pas à t'inquiéter de lui, Minou. Il sert seulement à faire de la PRÉFIGURATION★. C'est un procédé qui permet à l'auteur de semer des indices au sujet de la suite de l'histoire.

Ce qu'il nous faut maintenant, c'est un CADRE★, c'est-à-dire un lieu dans lequel l'action va se dérouler.

Décider du cadre est une excellente façon de commencer une histoire.

Par exemple, notre histoire sera peut-être une grande aventure de pirates! Dans ce cas, notre récit se passera au beau milieu de l'océan!

Oups! Désolé, Minou.

Tiens, laisse-moi t'aider
à sortir de là.

Bon d'accord, l'océan, ce n'était pas une bonne idée.
Ne t'inquiète pas, Minou, on va trouver autre chose.
Et si notre histoire se déroulait dans la jungle?

Mais oui! On pourrait inventer un récit exotique qui se passe dans la jungle, au cœur des forêts sauvages de l'Afrique, où les plantes étranges, les bruits mystérieux et les fauves énormes et dangereux abondent.

Ça ne va pas, Minou? Tu n'aimes pas ce cadre?

Très bien. Peut-être que notre récit aura lieu dans le Grand Nord glacial. Ça serait différent.

CRiiiii

Ou alors dans un cimetière lugubre! Les lecteurs semblent toujours prêts pour une bonne histoire de zombies.

Sais-tu? On pourrait utiliser les trois cadres. La plupart des histoires intègrent divers cadres.

Et puis NON! Je crois qu'on devrait s'en tenir au bon vieux cadre qu'on utilise habituellement dans tes histoires, Minou : ta maison.

Après tout, tu es un chat, Minou. Et d'habitude, les chats vivent dans une maison. C'est parfois important d'avoir un cadre en harmonie avec le personnage. Cela rend l'histoire plus crédible.

QUAND JE PENSE QUE J'AI RENONCÉ À UNE AUDITION POUR « MINI-SOURIS » POUR ÊTRE ICI...

MON AGENT VA ÊTRE FURIEUX EN APPRENANT ÇA!

Bien sûr, une histoire ne doit pas nécessairement être crédible pour être bonne.

CHAPITRE 3

LE CONFLIT

Alors, on a un protagoniste et un cadre pour notre histoire. Il faut maintenant qu'un événement se produise. S'il ne se passe rien, il n'y a pas d'histoire. Comment faire pour qu'il arrive quelque chose?

Eh bien, réfléchissons à notre protagoniste : Minou.
Si on veut écrire une histoire à son sujet, on doit bien
le connaître.

Commençons par nous poser quelques questions à
propos de Minou...

> Qu'est-ce que Minou aime?
> Qu'est-ce qu'il N'aime PAS?
> Qu'est-ce qui le rend joyeux?
> Qu'est-ce qui le rend grognon?
> De quoi a-t-il peur?

Quand tu écris une histoire, une des choses les plus
importantes à faire est de te poser des questions de ce
genre au sujet de ton protagoniste. Pourquoi? Parce
que c'est dans les réponses que tu risques de trouver
ton histoire.

Je sais que Minou se soucie beaucoup d'une chose :
la nourriture. Minou aime manger. Réfléchissons.

Hé! Je sais ce qu'on peut faire! Utilisons la
CONVOITISE★! Tu te demandes ce que c'est? C'est
un but à atteindre ou un objet particulier que le
personnage d'un récit désire à tout prix. Dans le cas
de Minou, je pense que ce qu'il désirerait vraiment,
c'est un gros bol de sa NOURRITURE préférée. Alors,
donnons-lui-en un.

Hum. Mais il y a un problème… Si on donne à Minou la nourriture qu'il désire vraiment et qu'il la mange, on n'a pas d'histoire.

Ce qu'on doit faire, c'est créer un petit CONFLIT★.

Un conflit survient quand un personnage est confronté à un problème ou à un défi. À vrai dire, une histoire sans conflit est vraiment ennuyeuse. Faisons donc en sorte que Minou n'obtienne pas trop facilement ce qu'il convoite.

Désolé, Minou, mais tu deviens trop gros. Dorénavant, tu devras manger moins.

Bonne nouvelle, cependant : notre histoire commence à prendre forme! Je crois qu'on peut même lui donner un titre…

NICK BRUEL

Méchant Minou
suit un RÉGIME

MINOU

Collection à succès au palmarès du New York Times.

Wahou! Tu ne penses pas que ça pourrait devenir une super histoire, Minou? J'ai hâte de connaître la suite! Pas toi?

Tu vois, Minou, il arrive souvent que le conflit vécu par un personnage devienne l'INTRIGUE★ de l'histoire. L'intrigue, c'est ce qui se passe dans l'histoire, tout simplement. Dans notre cas, l'intrigue expliquera ce qui se produit quand tu n'obtiens pas le déjeuner que tu veux.

Misère, Minou! Tu es un critique sévère quand tu t'y mets…

Tu sais, suivre un régime ne signifie pas que tu vas mourir de faim, Minou. Tiens, c'est pour toi!

C'est merveilleux! Notre histoire a une intrigue. Je pense que ce serait bien de lui ajouter un THÈME★. Si l'intrigue est « Minou suit un régime », alors le thème pourrait être le navet. Hum… Ça ne va pas. Le thème serait-il plutôt la nourriture pour chats? Non. L'ours polaire? Non.

Tu sais Minou, ça me gêne un peu de le dire, mais je ne sais pas vraiment ce qu'est un « thème ». Dans ce cas, mieux vaut se tourner vers notre seul et unique oncle Maurice le curieux, qui a réponse à tout.

HÉ, ONCLE MAURICE!

NAVET

MONONC' MAURICE, LE CURIEUX

COMMENT DIFFÉRENCIER L'INTRIGUE DU THÈME?

OUAIS! Moi, j'ador J'ADORE écrire des histoires!

Bonjour, oncle Maurice! J'essaie d'écrire une histoire et j'ai besoin de conseils.

Je vais faire de mon mieux, patron.

Pour commencer, j'aimerais savoir ce qu'est l'intrigue.

L'intrigue, c'est ce dont l'histoire parle.

Bien. Et le thème alors, qu'est-ce que c'est?

Le thème, c'est ce dont l'histoire parle.

Attendez… QUOI? Êtes-vous en train de me dire que l'intrigue et le thème d'une histoire, c'est la même chose?

Non, ce sont deux choses complètement différentes. Enfin, un peu différentes. L'intrigue décrit ce qui se PASSE dans l'histoire, alors que le thème décrit les idées ou le message de l'histoire.

Quelle serait l'INTRIGUE dans notre histoire?

Eh bien, ce serait tout ce qui arrive

quand ce chat bêta suit un régime et n'a pas la nourriture qu'il aime.

Et quel serait le THÈME?

Comme tu as beaucoup parlé de « personnages », de « cadre », d'« intrigue » et de trucs de ce genre, je dirais que le thème tourne autour de l'écriture d'une histoire.

Donc, l'intrigue ce serait Minou qui suit un régime et toutes les péripéties que cette situation engendre. Le thème serait l'idée d'utiliser cette histoire pour montrer aux enfants comment écrire leurs propres récits.

Voilà! Tu as tout compris.

Est-ce que toutes les histoires ont besoin d'une intrigue ET d'un thème?

Toutes les histoires ont besoin d'une intrigue, car s'il ne se passe rien, ce n'est pas une histoire. Cela dit, une histoire n'a pas besoin d'un thème à tout prix pour être une histoire, mais cela rend toujours le récit plus intéressant.

Merci, oncle Maurice. Je vais aller voir comment Minou se débrouille à présent.

Eh bien, c'était très intéressant tout ça. N'est-ce pas Minou? Minou?

Oh, ne fais pas cette tête-là!

Tu as besoin de suivre un régime, c'est évident, Minou. Regarde un peu comme tu as pris du poids ces derniers temps.

Crois-moi, tu vas te sentir bien mieux quand tu auras perdu quelques kilos.

• CHAPITRE 4 •

L'ANTAGONISTE

C'EST MON TOUR?

Bientôt, Nico.
Bientôt. Sois patient.

Les histoires comptant un seul personnage sont rares. Il y en a, bien sûr, mais si la plupart comptent habituellement plusieurs personnages, c'est parce qu'il est toujours plus intéressant de voir comment le protagoniste agit avec les autres personnages qui gravitent autour de lui.

C'est pourquoi je pense que cette histoire aura besoin d'au moins un autre personnage.

Je me disais qu'on devrait ajouter un personnage qui créerait un nouveau thème à cette histoire sur les nombreux avantages d'une saine alimentation. Que dirais-tu d'un gentil navet nommé Nico, qui ferait la promotion d'une bonne alimentation et qui nous inciterait à manger santé?

SALUT! JE SUIS NICO LE NAVET! JE DÉBORDE DE VITAMINES ET DE NUTRIMENTS!

Hum… Peut-être pas.

Mais n'oublions pas qu'un conflit est essentiel à notre histoire. Peut-être devrait-on introduire un type de personnage particulier, qui ajouterait du piquant à notre conflit?

BYE!

Je vous présente l'ANTAGONISTE★ de notre histoire!

BONJOUR, TOUTOU!

Tu seras notre antagoniste dans cette histoire!

C'est qui le bon antagoniste, hein? C'est qui le bon antagoniste? Oh oui, c'est toi! C'est toi le bon antagoniste! Oui, oui!

Toutou, à titre d'antagoniste de l'histoire, ton rôle consiste à t'opposer au protagoniste, c'est-à-dire à Minou. L'antagoniste est souvent le personnage qui représente l'obstacle entre le protagoniste et son but, ou sa convoitise.

Euh… Attends, je simplifie un peu.

Toutou, en tant qu'antagoniste de l'histoire, tu devras vérifier que Minou suit son régime et qu'il résiste à la tentation de s'empiffrer de ses aliments préférés.

Réfléchissons un peu, Toutou. Quel serait le meilleur moyen de garder Minou loin de toute cette délicieuse nourriture pour chats? Réfléchis bien, Toutou. N'oublie pas que Minou peut être très rusé quand il le veut. Réfléchis très, très fort.

Mais oui, Toutou, bonne idée! Tu peux MANGER sa nourriture! À mon avis, il n'y a pas de meilleur endroit que ton estomac pour garder la nourriture de Minou… loin de Minou!

Minou? Est-ce que ça va? Tu n'as pas l'air dans ton assiette tout à coup. As-tu besoin de t'allonger?

Ne t'inquiète pas! Je vais vite te dessiner un coussin pour amortir ta chute. Voilà. Il est juste devant toi.

Oups.

CHAPITRE 5

LES REBONDISSEMENTS

MINOU! OHÉ! MINOU-OU-OU-OU!

Misère, Toutou! Je n'arrive pas à le réveiller. Essaie quelque chose, toi!

BON TRAVAIL, TOUTOU

Ça a marché!

Bienvenue parmi nous, Minou! Tu nous as donné une bonne frousse en perdant connaissance. Mais tu nous as aussi rendu un fier service : tu as introduit le premier REBONDISSEMENT★ de notre histoire!

Un rebondissement, c'est un moment ou un événement qui fait prendre à l'histoire une tournure inattendue. Toute bonne histoire devrait compter au moins un rebondissement. La plupart des histoires en comptent plusieurs. En t'évanouissant subitement, tu nous en as fourni un!

Comprends-tu, Minou? En tombant dans les pommes, tu as modifié le cours du récit. Avant cet événement, l'intrigue de notre histoire se limitait à ton régime. À présent, l'intrigue comprend aussi ta convalescence, à la suite du choc terrible que tu as vécu.

Et voilà, Minou. Tu te sentiras bientôt mieux!

Hummm… Peut-être devrait-on changer le titre de notre histoire pour…

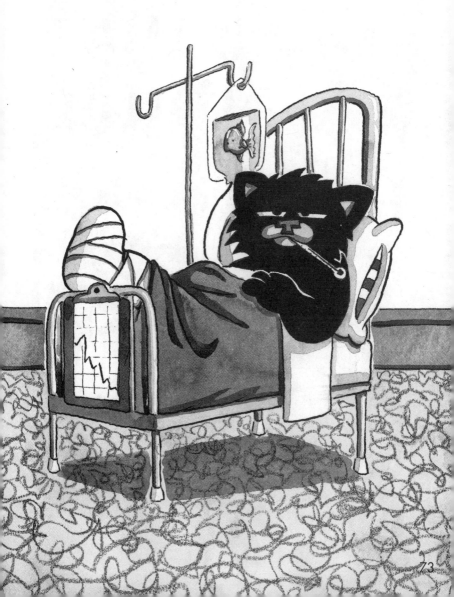

Et s'il y a une chose qu'il te faut pour te remettre complètement sur pattes, c'est un bon verre de délicieux jus de navet bien chaud et bien fumant.

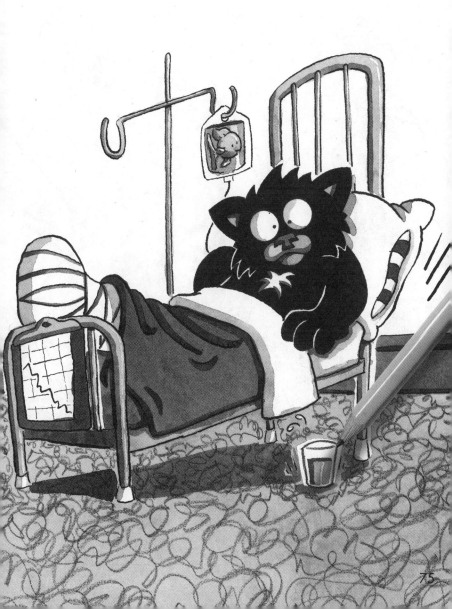

HÉ! QU'EST-CE QUE...
LÂCHE ÇA TOUT DE SUITE!

MINOU! RENDS-MOI MON CRAYON IMMÉDIATEMENT!

O-o-oh! Quand tu te mets à faire
le MÉCHANT MINOU, toi…

Oh, je vois! Monsieur n'est toujours pas content de l'intrigue de l'histoire... de SON histoire. Ma foi, c'est bien dommage, mais tu n'y peux rien, Minou. On est déjà à la page 78!

Bon, quoi encore? Tu plies bagage? Pourquoi? Où veux-tu… Oh, je comprends! Tu t'enfuis. Eh bien, ce n'est pas très malin!

Bon voyage, Minou! En fait, tu me rends service, tu sais. Ton départ crée un autre rebondissement dans l'histoire. Tu vois, on a commencé par une intrigue centrée sur ton régime. Puis on a ajouté un rebondissement en nous intéressant au choc que tu as subi en apprenant que tu devais suivre un régime.

Et maintenant, tu ajoutes un autre rebondissement en décidant de fuir parce que tu n'aimes pas ton nouveau régime. Cette histoire est plutôt bonne, si tu veux mon avis.

Attends, laisse-moi te dessiner la porte.

Ah oui, une dernière chose, avant que tu ne partes...

PRENDS GARDE AUX PIEUVRES GÉANTES DEHORS!

Tout le voisinage a été envahi par ces créatures!

Wahou! Quel titre génial! Moi, si je tombais sur un livre avec un titre pareil, j'aurais aussitôt envie de le lire. Pas toi, Minou? C'est la preuve que tout peut arriver dans une histoire, y compris se retrouver entre les tentacules d'une pieuvre géante!

À ce sujet, je me demandais justement... On appelle les huit bras de la pieuvre des tentacules. Mais doit-on dire un tentacule ou une tentacule?

Posons la question à oncle Maurice!

MONONC' MAURICE, LE CURIEUX

POURQUOI MOI?

DIT-ON UN TENTACULE OU UNE TENTACULE?

Alors, oncle Maurice, quelle est la réponse?

Pourquoi me poses-tu cette question?

Parce que c'est toujours à vous qu'on pose ce genre de question.

dic-tion-nai-re Livre ou document électronique répertoriant par ordre alphabétique un grand nombre de mots d'une langue, ainsi que leur orthographe, leur définition, leur prononciation, etc. Autrement dit, CECI est un dictionnaire!

Eh bien! Cette fois, tu peux trouver la réponse toi-même!

Mais comment?

En te servant d'un DICTIONNAIRE! Tout auteur a BESOIN d'un dictionnaire pour répondre à ce genre de question. Si tu ne sais pas comment écrire un mot, tu cherches dans un dictionnaire! Si tu veux utiliser un mot particulier dans ton histoire, mais tu n'es pas certain qu'il s'agit du bon mot, tu cherches dans un dictionnaire! Un dictionnaire est un outil essentiel à tout auteur.

Super! Y a-t-il d'autres outils importants pour un auteur?

Oui. Un auteur devrait aussi avoir un

dictionnaire des synonymes. C'est un ouvrage génial pour trouver des mots ayant le même sens. Quand on cherche un mot dans un dictionnaire des synonymes, on en trouve plusieurs autres qui signifient la même chose ou qui sont proches de sens. L'utilisation de mots différents rend la lecture plus intéressante.

Imaginons que j'écris la phrase « Le garçon marche vers le magasin. » En utilisant un dictionnaire des synonymes, je découvrirais que je peux l'écrire autrement. « Le gamin déambule vers la boutique », par exemple. Mais attention : les mots recherchés ne conviennent pas forcément à ton histoire.

Existe-t-il d'autres sortes de dictionnaires?

Bien sûr! Quand j'écris de la poésie, j'utilise parfois un dictionnaire de rimes. En y cherchant un mot, je trouve tous ceux qui riment avec lui. Par exemple, de nombreux mots riment avec « Maurice », comme « dix », « saucisse » ou « actrice ». En revanche, seuls quelques-uns riment avec « oncle ». « Furoncle » en fait partie.

« Furoncle »? Qu'est-ce que c'est?

Cherche dans le dictionnaire! Mais attends d'avoir le ventre vide. C'est préférable.

Ah, génial! On dirait que tu as décidé de rester, Minou. J'en suis ravi, d'autant plus qu'on approche de la fin de notre histoire.

Ciel! J'aurais été tellement triste… mais tellement, tellement triste de te voir partir juste avant la fin de l'histoire.

Rien… Rien que d'y penser et… snif! … je me sens tout chaviré… je renifle… j'ai l'œil humide. SNIF!
Oh, Minou! Je me serais TELLEMENT ennuyé de toi!

Désolé pour les larmes, Minou.

Ce qui est une bonne chose, car toutes les histoires devraient inclure des émotions. Une histoire peut être amusante ou triste ou...

OU EFFRAYANTE!
N'OUBLIEZ PAS
LES HISTOIRES
EFFRAYANTES!

Ou effrayante. En fait, une bonne histoire devrait exprimer plus d'une émotion, parce que les lecteurs ressentent plus d'une émotion. Les gens ne sont pas seulement joyeux ou tristes ou en colère ou effrayés. Ils sont tout cela à la fois et bien plus encore. C'est pourquoi tes personnages devraient ressentir beaucoup d'émotions, eux aussi.

En passant, une histoire drôle peut comporter des scènes tristes, si tu en décides ainsi. Tout comme une histoire triste peut compter des scènes comiques. Tu es libre d'écrire ton histoire comme bon te semble.

HÉ! Ça me rappelle la règle d'or quand on écrit une histoire! Je vais t'en parler dans le chapitre que j'ai intitulé...

ICI, SALE CABOT! J'AI CHERCHÉ MON PIED PARTOUT!

CHAPITRE 6

LA RÈGLE D'OR QUAND ON ÉCRIT UNE HISTOIRE

Veux-tu savoir quelle est la règle d'or quand on écrit une histoire, Minou? Veux-tu? Veux-tu? Pourquoi ne me réponds-tu pas, Minou?

Oh, c'est vrai! Tu ne peux pas parler!

Eh bien, je vais arranger ça.

Merci, Minou! Je suis si content que cela t'intéresse!

Voici donc la règle d'or que tout auteur doit connaître quand il écrit une histoire :

C'est TON histoire.

C'est exact, cher lecteur. Quand tu te lances dans l'écriture d'une histoire, dis-toi que cette histoire est à TOI et à TOI SEUL.

BIEN SÛR QUE J'AIMERAIS LE SAVOIR!

Cela signifie que TON histoire peut compter autant de personnages, de protagonistes et d'antagonistes que TU le désires.

Et parce que c'est TON histoire, c'est TOI qui décides de tout ce que les personnages feront ou diront.

Tu es également libre de donner autant de cadres que TU le veux à ton histoire, quels qu'ils soient. En parlant de ça, tu peux situer ton histoire dans le LIEU qui te plaît, mais aussi à l'ÉPOQUE qui te plaît. Tu peux camper ton récit dans le passé, dans le présent ou même dans le futur.

Ton histoire peut mettre en scène autant de conflits et de drames que tu le veux. Elle peut contenir autant de rebondissements que tu en as envie.

Ce qu'il faut retenir, c'est que c'est toi qui décides du déroulement de ton histoire. Comme je le fais en ce moment.

Minou, je suis tellement content de voir que ton nouveau régime te plaît!

LES NAVETS ME RENDENT HEUREUX!

Tu as accepté l'idée de ce nouveau régime. À mon avis, cela constitue la fin parfaite à cette histoire.

Des navets? TOI? Je n'aurais jamais pensé t'entendre dire ça un jour.

Bonjour, Minou Tout-fou! Tu arrives au bon moment! Nous allions justement clore cette histoire. Comme tu le sais, toute histoire doit avoir une fin.

Oh! Je vois.

LES NAVETS RENDENT LA VIE TELLEMENT PLUS AGRÉABLE!

J'aurais pu terminer mon histoire de n'importe quelle façon. J'aurais pu choisir de rendre Minou tellement malade qu'il aurait été forcé d'entrer à l'hôpital. Mais je n'aimais pas cette fin.

Je raffole des navets. Pendant une seconde, j'ai pensé que tu avais lu mon journal intime.

LES NAVETS, C'EST DU BONBON!

MIAOU! MIAOU! MIAOU!

Vraiment? Les navets?

*Navets? Ai-je bien entendu quelqu'un parler de navets?

J'aurais pu décider de faire fuir Minou très loin, seul sans personne. Ou j'aurais pu le faire enlever par les pieuvres envahissantes, qui l'auraient emmené vers un sombre destin. Mais je n'aimais pas ces fins-là non plus. Trouver une fin est parfois une tâche délicate.

Si on discutait des fins avec oncle Maurice? Je parie qu'il a une ou deux choses à nous dire à ce sujet!

Bonjour, Chat-Blabla! Ce n'était pas Minou, mais ce type, tu sais Bruel.

LES NAVETS ET MOI, C'EST POUR LA VIE!

MIAOU! MIAOU!* MIAOU!

*Savez-vous qu'on n'utilisait pas des citrouilles, mais des navets pour fabriquer les premières lanternes d'Halloween? Les Irlandais sculptaient des visages dans des navets pour chasser un esprit nommé Jack le radin. Selon la légende, celui-ci éclairait sa route la nuit à l'aide d'un navet évidé dans lequel il déposait quelques morceaux de charbon enflammés.

MONONC' MAURICE, LE CURIEUX

PARLEZ-NOUS DES TYPES DE FIN, SVP.

Grosso modo, il y a deux sortes de fins : les FINS FERMÉES★ et les FINS OUVERTES★.

Quelle est la différence?

Eh bien, on parle d'une fin fermée quand l'histoire se termine de telle façon qu'il ne peut plus rien arriver d'autre. Si tu termines ton histoire avec un petit indice laissant croire au lecteur qu'autre chose peut se passer, alors il s'agit d'une fin ouverte.

À vous entendre, on se dit qu'une fin ouverte n'est pas vraiment une fin.

Bon, je vais te donner un exemple. Imaginons que tu écris l'histoire d'un charmant superhéros – appelons-le Super Maurice – capable de voler, de voyager dans le temps, de devenir invisible et de lancer de puissants rayons laser avec ses yeux. À la fin de l'histoire, Super Maurice triomphe du méchant et sauve la ville. Le méchant croupit en prison, une très jolie femme tombe amoureuse de Super Maurice et tous les citoyens sont en sécurité. Fin. Ce serait une fin FERMÉE, car il n'y a plus rien à ajouter au récit.

J'ai l'impression que vous avez déjà bien réfléchi à cette histoire…

Disons à présent que le méchant, au lieu d'aller en prison, s'enfuit en lançant : « Tu as remporté ce combat, Super Maurice, mais tu n'as pas remporté la guerre! » Puis, il laisse éclater un rire chargé de menaces du genre « Hé, hé, hé! » et il s'éloigne en boitant. Dans cette version, l'histoire se termine aussi par Super Maurice qui sauve la ville, la jolie femme qui tombe amoureuse de lui et le méchant qui perd le combat, mais elle laisse le lecteur avec une question : le méchant va-t-il revenir et tenter une nouvelle attaque? Il s'agit d'une fin OUVERTE.

Pas de doute, vous avez VRAIMENT réfléchi à cette histoire.

Les fins ouvertes sont une excellente façon de créer une collection dans laquelle chaque histoire mène à la suivante. Une collection porte toujours un titre. Dans ce cas, ce pourrait être quelque chose comme… « Les Aventures étonnantes de Super Maurice » ou… enfin, tu vois, un truc du genre.

Je les lirais, c'est sûr. Merci, Super Maurice… euh… oncle Maurice.

Hé, génial! Toute la bande de minets est ici. Vous arrivez juste à temps pour entendre la fin de l'histoire.

Minou avait besoin de perdre du poids. Il a donc commencé un régime amaigrissant à base de navets. Il a tellement détesté cela qu'il en est tombé malade.

Il a tenté de fuir, mais une invasion de pieuvres géantes dans le quartier l'en a dissuadé.

À présent, il raffole des navets!

FIN

OH, ALLONS, MINOU! L'histoire est terminée! Tu ne peux plus rien y faire! Absolument rien! À partir de maintenant, tu es un chat qui adore les navets. Tu dois te faire à l'idée!

Qui sait? Peut-être que dans ton prochain livre, tu réussiras à convaincre tous les autres minets de manger des navets! Ça ne serait pas amusant? Hein?

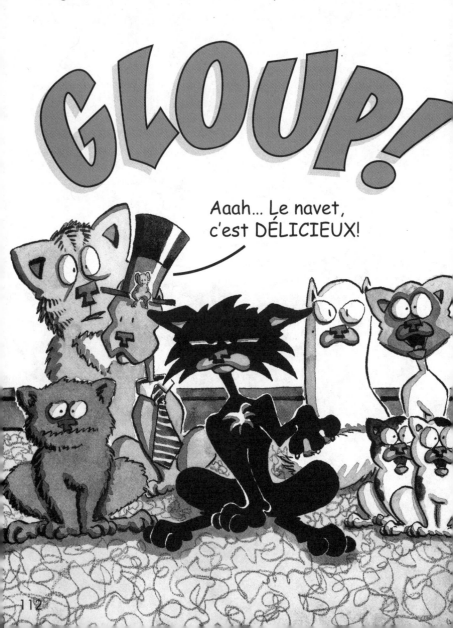

Euh… Qu'est-ce qui se passe?

Minou… Pourquoi me regardes-tu avec cet air-là?

À quoi penses-tu?

Minou? Minou?

Reculez,
vous autres.
Lentement…
Lentement…

J'ai… AÏE! J'ai bien réfléchi, Minou, et… MISÈRE, MON TIBIA! … et j'ai décidé que… AARGH! Pourquoi fait-il si sombre tout à coup? J'ai décidé qu'il y avait une autre possibilité.

• ÉPILOGUE★ •

ARGL… AÏE! Eh bien, Minou, après tout, tu as fait
des efforts… Ciel qu'il fait noir… Oui, euh… de gros
efforts pour ton régime, alors je t'offre… Oh, j'ai froid!
J'ai très, très froid… Je t'offre un cadeau.

Bon appétit, Minou!

Je vais trouver quelqu'un pour me soigner à présent.

Et maintenant, l'annexe.

• ANNEXE •

Glossaire ~~des termes littér~~aires de ce livre, se~~rvant à être informé~~

Auteur(~~e~~) ~~per~~sonne incroyablement bell~~e~~ ~~qui é~~crit des ~~livr~~es et qui ~~sent la bo~~ême par temps ~~chaud~~.

Illustrat~~eur/-tric~~e) ~~pers~~aussi belle et odorante que la précé~~dente~~ qui cr~~ée des dessi~~ns pour des livres. Il arrive souvent qu~~'un~~ auteur ~~illustre~~ d'un livre ~~soit la~~ même personn~~e~~.

Perso~~nnage~~ ~~Dans une histo~~ire, être qui e~~xprime s~~es pensées ou qu~~i pr~~end par~~t à l'action. D~~ans ce livre, to~~us les~~ êtres qu'on renc~~ontr~~e sont d~~es personnag~~es, ~~y~~ compris ~~M~~inou, Toutou, le zom~~bie~~ ~~e~~t la pie~~uvre. L~~es personn~~a~~ges n'ont pas besoin d'av~~oir u~~n na~~m pour faire p~~artie de l'h~~ist~~oire.

Prota~~g~~onist~~e ~~personn~~age princip~~al~~ d'une histoire. Dans celle-~~ci, le prota~~g~~oniste s~~erait bie~~n évid~~emment Minou. On s'est intéres~~sé à ses fai~~ts et geste~~s plus qu'à cel~~ui de t~~ous les autres person~~nages.

Préf~~iguration ~~mo~~yen par lequel ~~u~~n auteur parsème le récit d'i~~ndices perme~~tt~~ant~~ le lecteur ~~de faire des c~~onjects~~ures sur de~~s ~~événe~~mentions ~~à v~~enir. ~~Cela a~~ une ~~imp~~ortance ~~particuliè~~re ~~pour l'~~aîgune dans le récit.

~~**Cadre**~~ époque dans lesquels l'histoire se déroule. ~~Une histoire peu~~t compter plusieurs cadres. La nôtre se passait ~~le plus souvent~~ dans la maison de Minou.

~~**Motivation**~~ ~~B~~ut à atte~~indre ou r~~ésultat que l~~e protagon~~iste ~~veut obten~~ir à tout ~~prix. Celle de Minou, c'est qu'il co~~nvoitait un ~~bon petit déje~~uner. C'est son désir d'obtenir la nourriture dont il rêve. ~~Cela ai~~de le lecteur à mieux le comprendre.

PFFF! Quel est le problème, Minou Tout-fou?

Monsieur, je vous accuse de PLAGIAT!

O-o-o-oh! Il y va fort!

De quoi parles-tu, MTF?

En tant que grand connaisseur de dessins animés, j'affirme que l'idée de base de cette histoire a déjà été utilisée!

Tss, tss...

À titre d'exemple, je mentionne *Farce au canard* et *Rabbit Rampage*, deux dessins animés classiques des Looney Tunes, tous deux réalisés par Chuck Jones et écrits par Michael Maltese.

Les voix sont de Mel Blanc.

121

Dans ces dessins animés, les personnages principaux interagissent avec un créateur invisible qui s'amuse à les manipuler et à modifier leur environnement, EXACTEMENT COMME VOUS L'AVEZ FAIT TOUT AU LONG DE CE LIVRE!

Monsieur, défendez-vous!

C'est pourquoi je VOUS accuse de plagiat!

UNE MINUTE SVP!

Tu parles de dessins animés, mais ceci est un livre. Il s'agit de deux choses très différentes!

C'est exact.

L'argument vaut la peine d'être considéré.

Mais je suis d'accord avec toi, MTF.

AAH!

J'accuse!

Je me suis inspiré de ces dessins animés pour faire ce livre, mais je ne les ai pas copiés. Le plagiat, c'est mal.

Continuez, continuez.

Oui, continuez.

Toute œuvre s'inspire de ce qui a été créé avant. Même *Farce au canard* comporte des similitudes avec *Gertie le dinosaure*, que Winsor McKay avait créé 39 ans plus tôt.

Je n'avais pas pensé à ça.

Oups.

À vrai dire, je serais vraiment heureux d'apprendre que quelqu'un a eu envie de créer ses propres histoires de Méchant Minou après avoir lu ce livre.

C'est qui, lui?

Nick,
Je t'en prie, n'incite pas nos lecteurs à créer leurs propres histoires de Méchant Minou. Nous voulons qu'ils lisent NOS livres.
Neal

Jolie calligraphie.

C'est mon éditeur. Désolé, Neal, mais je ne tiens pas à être le seul à m'amuser à créer des livres de Méchant Minou.

Hé, REGARDEZ! Il y a un enfant là-bas; il s'installe avec du papier et un crayon.

Et il y en a un autre là-bas! Et un autre!

• ANNEXE •

Glossaire des termes littéraires de ce livre, selon leur ordre d'apparition.

Auteur(e) • Personne incroyablement belle, qui écrit des livres et qui sent toujours la lavande, même par temps chaud.

Illustrateur(trice) • Personne tout aussi belle et odorante que la précédente, qui crée des illustrations pour des livres. Il arrive souvent que l'auteur et l'illustrateur d'un livre soient une même personne.

Personnage • Dans une histoire, être qui exprime des pensées ou qui prend part à l'action. Dans ce livre, tous les êtres qu'on rencontre sont des personnages, y compris Minou, Toutou, le zombie et la pieuvre géante. Les personnages n'ont pas besoin d'avoir un nom pour faire partie de l'histoire.

Protagoniste • Personnage principal d'une histoire. Dans celle-ci, le protagoniste est bien évidemment Minou. On s'intéresse à ses faits et gestes plus qu'à ceux de tous les autres personnages.

Préfiguration • Moyen par lequel un auteur parsème le récit d'indices qui informent le lecteur sur des événements à venir dans l'histoire. Les apparitions subites de Nico le navet laissent présager l'importance qu'aura ce légume dans le récit.

Cadre • Lieu ou époque dans lesquels l'histoire se déroule. Une histoire peut compter plusieurs cadres. La nôtre se passe principalement dans la maison de Minou.

Convoitise • But à atteindre. La convoitise peut prendre la forme d'un résultat que le protagoniste espère obtenir ou d'un objet qu'il désire à tout prix. Dans notre cas, Minou convoite un gros déjeuner. C'est son désir d'obtenir la nourriture dont il rêve. Cela aide le lecteur à mieux le comprendre.

Conflit • Tout obstacle ou problème qu'un protagoniste rencontre au fil du récit s'appelle un conflit. Minou vit de nombreux conflits dans ce livre en essayant d'obtenir la nourriture qu'il désire. Les conflits sont très importants pour maintenir l'intérêt du lecteur.

Intrigue • Ensemble des événements qui surviennent dans l'histoire. Dans celle-ci, on oblige Minou à suivre un régime alors qu'il veut s'empiffrer.

Thème • Idée ou message qu'une histoire transmet. Dans ce cas-ci, le thème consiste à enseigner au lecteur comment un récit se construit et combien il peut être AMUSANT d'écrire une histoire.

Antagoniste • Personnage qui fait obstacle au protagoniste. Dans cette histoire, Minou a plusieurs antagonistes : Toutou, la pieuvre géante et, assez curieusement, l'auteur.

Rebondissement • Moment où l'intrigue prend soudainement une tournure inattendue. Le moment où Minou tombe malade ou celui où il veut s'enfuir sont des exemples de rebondissements dans ce récit. Toute bonne histoire nécessite au moins un rebondissement.

Fin ouverte • Fin comprenant un élément qui indique au lecteur qu'une suite au récit est possible. C'est parfois le genre de fin qu'on utilise quand on veut laisser présumer l'intrigue du prochain livre d'une collection.

Fin fermée • Fin qui ne laisse aucun doute : l'intrigue est bouclée et l'histoire est bel et bien finie.

Épilogue • Genre de conclusion présentée après la fin de l'histoire, qui conclut le récit même si l'action est finie. Dans cette histoire, l'épilogue donne la chance à Minou d'obtenir la nourriture qu'il veut et à l'auteur de recevoir les soins médicaux dont il a désespérément besoin.

LES INCROYABLES NAVETS RÔTIS DE MINOU TOUT-FOU

(Les enfants, vous aurez besoin de l'aide
d'un adulte pour faire cette recette.)

INGRÉDIENTS :

1 navet de taille moyenne ou grosse
1 c. à table d'huile d'olive
1 c. à table de romarin frais, haché
1 gousse d'ail émincée (facultatif)
sel et poivre au goût

Préchauffer le four à 200 °C (400 °F). Peler le navet et le couper en petits cubes. Mettre tous les ingrédients dans un bol et mélanger pour bien enrober les cubes de navet. Les verser dans un plat allant au four ou sur une plaque à biscuits.

Faire cuire les cubes de navet 15 minutes ou jusqu'à ce qu'ils soient tendres et légèrement dorés. Selon leur taille, la cuisson peut prendre jusqu'à 45 minutes.

TOUT CHAUDS,
TOUT BONS...
UN PUR DÉLICE!